STORÏAU HANES C

TADIA A'I THE
YN ISCA RUFE

JOHN EVANS

Trosiad gan Hedd a Non ap Emlyn

Lluniau gan Richard Hook

DREF WEN

Caer oedd Isca a gafodd ei chodi gan fyddin y Rhufeiniaid i wneud yn siwr fod Celtiaid de Cymru'n ufuddhau i'w cyfreithiau. Roedd Tadia'n byw gyda'i mam a'i thad y tu allan i furiau Isca.

Roedd ei thad wedi bod yn filwr ar un adeg, ond roedd e'n rhy hen i ymladd erbyn hyn. Roedd ei brawd, Tadius, yn filwr o hyd, ac roedd e'n byw y tu mewn i'r gaer, yn barod i orymdeithio i unrhyw ran o Ymerodraeth Rhufain lle'r oedd helynt.

Un diwrnod, dywedodd Tadius wrth ei deulu fod ei gentwria yn gadael Isca ac yn mynd i ymladd yn yr Almaen yn erbyn gelynion y Rhufeiniaid. Yn ystod y dyddiau cyn iddo adael, roedd Tadia'n brysur gyda'i mam yn paratoi pethau y byddai ei brawd eu hangen ar gyfer y daith.

Trwsiodd ei mam y tyllau yn ei glogyn, a chymerodd Tadia y mortarium i falu'r gwenith yn flawd. Rhoddodd ychydig ohono mewn sach a'i chlymu. Cymysgodd y gweddill yn does ar gyfer gwneud bara, fel y byddai bwyd gan Tadius yn ystod ei daith hir.

Yn y cyfamser, bu Tadius yn ymarfer dril yn yr amffitheatr i wneud yn siwr ei fod yn heini ac yn barod i ymladd.

Hogodd ei gleddyf a'i waywffon.

Glanhaodd ei arfwisg cyn i Rufinius y Canwriad ddod i'w harchwilio.

Fel pawb arall a oedd yn byw y tu allan i Isca, dim ond ar adegau penodol o'r dydd y byddai Tadia'n cael mynd i mewn i'r gaer. Roedd hi'n mwynhau mynd i'r baddondy gyda'r merched a'r plant eraill yn ystod y prynhawn ar ôl iddi orffen ei gwaith.

Ar ôl cael bath oer cyflym, byddai Tadia'n rhwbio olew o'i fflasg ar ei chroen ac yna'n mynd i orwedd, yn yr ystafell gynnes yn gyntaf, ac yna yn yr ystafell boeth.

Roedd y gwres yn codi o dan y llawr i wneud iddi chwysu, yna byddai'n crafu'r baw a'r chwys oddi ar ei chorff â chrafwr.

Wedyn, byddai'n mynd yn ôl i'r bath i oeri, yna'n sychu ac yn gwisgo, gan sgwrsio gyda'i ffrindiau ac yfed gwin.

Gartref, wrth iddi nosi, cynheuodd Tadia y lampau olew a rhoddodd fara, caws ac olifau ar y bwrdd yn barod ar gyfer y pryd olaf gyda Tadius. Eisteddodd y teulu o gwmpas y bwrdd a siarad am y daith a oedd o'i flaen. Ar ôl gorffen y bwyd, rhoddodd Tadius ei focs arian i'w chwaer.

“Gofala am hwn,” dywedodd, “nes bydda i’n dod yn ôl. Os na ddo i yn ôl, defnyddia’r arian i brynu pethau sydd eu hangen arnat ti.” Yna, cusanodd ei chwaer ar ei dwy foch ac aeth yn ôl i’w farics yn y gaer.

Yn gynnar y bore wedyn, clymodd Tadius ei lurig, caeodd ei helmed am ei ben, a chydiodd yn ei waywffon a'i darian.

Gorymdeithiodd allan drwy gatiau Isca gyda gweddill y centwria a dringodd i mewn i un o'r llongau a oedd wedi'u hangori ar lan yr afon. Â dagrau yn ei llygaid, cododd Tadia ei llaw wrth i'r llongau hwylio am yr Almaen. Beth fyddai'n digwydd i Tadius, meddyliodd hi. Fyddai e'n dychwelyd yn ddiogel ...?

Aeth amser heibio. Blwyddyn, deng mlynedd, hanner can mlynedd. Anghofiodd pawb am Tadia a'i brawd … Can mlynedd, dau gan mlynedd … Gadawodd y Rhufeiniaid a dechreuodd Isca droi'n adfail. Cymerwyd y cerrig ar gyfer adeiladu tai newydd.

Tyfodd chwyn ar yr iard o flaen y baddondy. Aeth pum can mlynedd heibio. Syrthiodd y toeon i mewn a syrthiodd yr adeiladau. Aeth mil o flynyddoedd heibio. Roedd pridd yn cuddio'r rwbel. Dim ond y tyrau cerrig cryf a muriau'r gaer oedd i'w gweld erbyn hyn.

Yng nghanol y bedwaredd ganrif ar bymtheg, roedd pawb, bron, wedi anghofio am gaer Isca a daeth tref newydd o'r enw Caerllion yn ei lle. Byddai pobl weithiau yn dod o hyd i bethau Rhufeinig yn y tir. Un diwrnod, cafodd ffarmwr hyd i garreg â llythrennau rhyfedd wedi'u cerfio arni. Galwodd ar yr archaeolegwyr. Ar ôl clirio'r pridd yn ofalus, roedden nhw'n gallu gweld bod geiriau Lladin, iaith y Rhufeiniaid, wedi'u cerfio ar y garreg. Roedd y geiriau yma'n dweud:

"I ysbrydion y meirw. Bu Tadia Vallaunius fyw am 65 mlynedd, a Tadius Exuperatus, ei mab, am 37 mlynedd, gan farw yn ystod ymgyrch yr Almaen. Gosodwyd hon ger bedd ei thad gan Tadia Exuperata, y ferch ffyddlon, er cof am ei mam a'i brawd."

MYNEGAI

 Cyhoeddwyd 2003 gan Wasg y Dref Wen, 28 Ffordd yr Eglwys, Yr Eglwys Newydd, Caerdydd CF14 2EA. Ffôn 029 20617860. Argraffwyd yng Ngwlad Thai.

Dyluniad clawr gan Elgan Davies. Llun clawr cefn: Carreg fedd © Amgueddfeydd ac Orielau Cenedlaethol Cymru